D1643743
ACC. No: 05133597

Y CWILT

I fy nhad Yvon, fy mrawd Benoît ac i Wyre, Alban a Nebo.
"Première, deuxième, troisième génération..."

Diolch i Peter Stevenson, Matthew Spikes a Matthew Clubb.
A diolch hefyd i Menna Morgan, Jen Jones, Sian Thomas,
Wyre Spikes, Pauline Zéo a Rhodri Shore.

Argraffiad cyntaf: 2019

Dymuna'r cyhoeddwyr gydnabod cymorth ariannol Cyngor Llyfrau Cymru.

Rhif llyfr rhyngwladol: 978 1 78461 797 4

Cyhoeddwyd ac argraffwyd yng Nghymru
gan Y Lolfa Cyf., Talybont, Ceredigion, SY24 5HE
e-bost: ylolfa@ylolfa.com
y we: www.ylolfa.com
ffôn: 01970 832304
ffacs: 01970 832782

Y CWILT

Stori a lluniau gan

Valériane Leblond

y lolfa

Rhedai nant y tu ôl i'n tŷ ni. Byddai defaid yn crafu yn erbyn y drain. Ar y bryniau, roedd eithin a grug yn llunio patrymau, ac roedden ni'n byw yn eu plith. Doedd dim perthi, na waliau, na ffensiau. Roedden ni'n byw ar y rhos, a'r rhos yn byw ynddon ni.

Ar nosweithiau o wanwyn, byddai'r gwenoliaid yn dawnsio o flaen y tŷ, a bydden ni'n cneifio'r defaid.

Ac yn y gaeaf, byddai mwg tanau mawn yn codi i'r awyr yn gylchoedd euraid.

Ond roedd y gaeaf hwnnw'n arw. Ciliodd y rhos. Roedd yr anifeiliaid yn llwgu, a ninnau hefyd. Doedd yna fawr i'w fwyta, a phrin oedd y cig yn y cawl.

Doedden ni ddim yn cael dilyn llwybrau'n tadau, ac roedd rhaid talu toll er mwyn cerdded ar yr heol.

Yn amlach ac yn amlach, crwydrai llygaid fy rhieni heibio i'r gorwel, y tu hwnt i'r bryniau, dros donnau'r môr…

Gyda'r hwyr, wrth y tân mawn, naddai 'Nhad bowlenni a llwyau o bren ysgawen tra byddai Mam yn gwnïo carthen.

Torrai drionglau o wlanen goch a du, yr un gwlân du â dillad Sul 'Nhad, yr un gwlân coch â ffrog Mam. Wrth wnïo'r trionglau'n sgwariau, a'r sgwariau yn sgwariau mwy, mi ganai Mam gân yn dawel bach, ac roedd pob pwyth fel nodyn ar dudalen o gerddoriaeth.

Yna, dechreuai Mam gwiltio, a'i braich yn symud fel bysedd y cloc. Roedd fflamau tân yr hwyr yn taflu cysgodion ar y waliau ac yn disgleirio yn llygaid 'Nhad.

Wrth i'r edau ffurfio patrymau ffelt ar y blanced, roedd y tŷ yn gwagio fesul tipyn.

Diflannodd y cloc mawr. Y cadeiriau hefyd. Yna'r seld. A'r tegell hyd yn oed. Pan doedd dim byd ar ôl heblaw'r cwilt a'r dillad oedd amdanon ni, dychwelodd y gwenoliaid eto. Daeth y gwanwyn, a chaeon ni ddrws ein tŷ bychan am y tro olaf.

Roedd hi'n daith hir iawn. Cerddon ni drwy'r dydd, a chyrraedd harbwr bach gyda'r nos.

Oddi yno, aeth cwch â ni i ddinas fawr. Symudon ni wedyn i long fwy eto, a dechrau ar daith bellach byth.

Teimlai fel petai'r daith byth am ddod i ben. Roedd y tonnau'n gyfeiliant i'r dyddiau a'r nosau, a'r gorwel yn ein hamgylchynu.

Roedd hi'n oer ac yn wlyb, ac roedd y llong yn llawn lleisiau uchel ac ieithoedd estron. Dyna bell oedd fy nant fach, y cymoedd gwyrdd, a brefu'r defaid!

Tyfodd y tristwch a'r hiraeth yn fy nghalon, a llifodd y dagrau i lawr fy mochau. Fe wnaeth Mam fy lapio'n dynn yn y cwilt, a dechreuodd ganu'n dawel yn fy nghlust.

Wrth iddi ganu, dilynai ei bysedd batrymau'r cwilt. Roedd y defnyddiau coch a du yn ffurfio siapiau tai cyfarwydd ac adenydd gwenoliaid, a'r edau goch yn fy nghludo'n ôl dros y môr a thrwy'r cymoedd. Gwelwn y nant eto yn troi ac yn llifo y tu ôl i'r tŷ, a chrychau crwn y cerrig a daflwyd i'r llyn. Gallwn glywed aroglau llawn cysur gwlân y defaid, a theimlo gwres y tân mawn.

O'r diwedd, gwelson ni'r adar cyntaf yn hedfan dros y môr. Yna, llinyn o dir ym mhen pella'r gorwel. A glaniodd y llong, wrth i ni gyrraedd tir sych.

Teithion ni am amser maith drwy ddinasoedd mawrion a threfi bychain, mynyddoedd, ac afonydd mor llydan â llynnoedd.

Yng nghanol tir anial ac estron, un noson cododd fy rhieni loches, ac yn fuan wedyn dyma godi tŷ, a sgubor, a gardd. Roedden nhw'n gweithio'n ddiflino.

Pan fyddwn yn teimlo'r hiraeth eto yn fy nghalon, byddwn i'n cwtsio yn y cwilt, gafael ynddo'n dynn, dynn, a chofio gwres y defaid a'r tân mawn. Byddwn i'n dilyn amlinell y tŷ â'm bysedd, y drws coch, bwrlwm y nant, gwenoliaid y gwanwyn yn hedfan, ac mi glywn i lais swynol Mam yn canu…

O'r hadau a blannwyd yn yr ardd, tyfodd llond gwlad o ffrwythau a llysiau blasus: pwmpenni, tomatos, india-corn, a llus mor fawr ag wyau'r frongoch.

Ac unwaith eto mi gefais lond fy ffroenau o aroglau braf cawl poeth, a daeth y gwenoliaid i nythu dan ein bondo gyda'r gwanwyn.

Roedden ni gartref, yn byw ar y tir, a'r tir yn byw ynddon ni.